THE WEE BOOK O' PURE STOATIN' JOY

D0958924

THE WEE BOOK O' PURE STOATIN' JOY

By **Susan Cohen**
Illustrated by **Jane Cornwell**

Text copyright © 2019
Susan Cohen www.susancohen.co.uk

Illustration copyright © 2019
Jane Cornwell www.janecornwell.co.uk

Edited by Angus Stewart

A CIP record of this book is available from the British Library.

Paperback ISBN 978-1-9164915-8-8

First published in the UK in 2019 by The Wee Book Company Ltd.
www.theweebookcompany.com

Printed and bound by Bell & Bain Ltd, Glasgow.

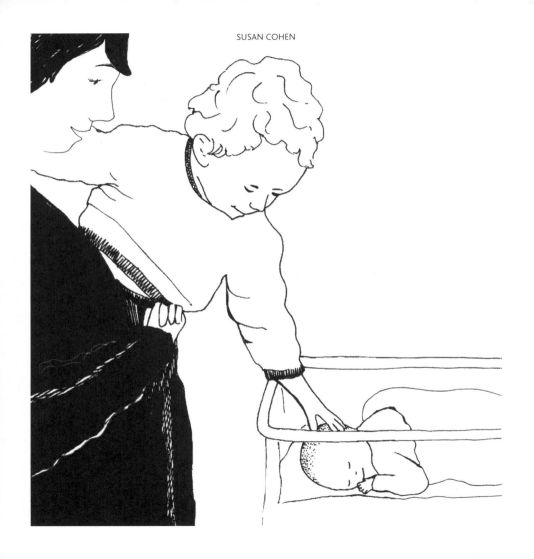

SUSAN COHEN

SUSAN, THE AUTHOR WI' HER SONS, JON AND GAV. THEY'RE A' GROWN UP NOO, BAITH O'ER SIX FEET TALL, BUT THIS WUS THE MOMENT THEY FIRST MET — A MOMENT O' PURE STOATIN' JOY.

JANE, THE ILLUSTRATOR WI' DANNY AN' THEIR KIDS, AN' THE TORREY CLASSICS — SLICK, ROCKY, SAM AND SUNDANCE — DAEIN' SOMETHIN' SHE ONLY DREAMED O' DAEIN' SOMEWHAUR SHE ONLY DREAMED O' GOIN'. THEY MADE IT HAPPEN! OCH, IT'S A PICTURE O' PURE STOATIN' JOY.

LET'S GIT FOO O' THE JOYS!

When wus the last time ye felt sae foo o' the joys thit ye found yersel' jumpin' intae the air lik' a bouncy wee Scots hare, wi' yer twa wee feet liftit richt auf the groond?

Wus it the time ye discovert thit sumwan hud stuck a battered haggis intae yer munchie box instead o' a sausage? How aboot thit time ye'd discovert a hauf price sale at the Poond Shop? Or wus it when ye thocht ye'd wun a fiver oan thon scratchcard thit yer Maw's Maw stuck in yer Christmas card but it turnt oot tae be a tenner? Wheniver it wus, guid oan ye!

The thing is, oftentimes fowk feel thit life's sae hard gaun thit they feel as if they're wadin' through porridge wearin' wellies thit are twa sizes too big.

Sumtimes they're livin' in such a wheechin' whirwind o' patter an' blethers an' haivers thit their heids are in danger o' explodin' oot frae unner their bunnets. Aye, bet ye know thae feelin's! We a' chuffin' do!

It's nae rare fur any o' us tae huv computers perched oan wur knees, moby phones strapped tae wur lugs, tellies oan foo blast, radios blarin', weans mauraudin', neighbours bawlin', guinea pigs jumpin' an' wee scabby dugs howlin' a' at wance. Nae wunner wur nappers can feel lik' they're foo' o' pure mince! A' thit howfin' bowfin' roarin' stramash is enuf tae send onywan pure doolally. Sure we're a' fed up tae the back Cowdenbeath wi' it a' noo, eh?

So here's a wee stoater o' an idea fur ye. How aboot we jist tell the wurld tae jog oan fur a while so we can tak' a daunder through this Wee Book and remind wursel's thit there's mair tae life than a' thit mingin' maukit racket! Whit dae ye 'hink? Are ye wi' me? Aye, ye are! Gaun let the wurld gang aboot its business, an' leave ye well oot o' it fur a while.

Ye ken whit today is, don't ye? Gaun tak' a wild guess.

Naw, it's no' yer Maw's birthday (ye didnae miss it again, did ye?).

Naw, it's no' the anniversary o' yer furst lumber doon yon dark close (did ye think naebody saw?).

Naw, it's no' twa-fur-wan nicht doon at the karaoke (sure ye've been polishin' up yer Sydney Devine an' yer Lady Gaga numbers but they'll jist huv tae wait).

Naw, naw, today's the day ye start tae enjoy the here an' noo – today's the day ye' start tae set aboot gettin' yersel' oan track tae live a life which is foo o' the joys. Crackin', eh?

Aye, feelin' foo o' the joys is a feelin' ye can bring aboot a' by yersel'. Ye jist huv tae ken how tae dae it an' keep it in yer focus. So, mak' lik' yon Andy Murray wi' his broos doon an' his eye firm oan the tennis ba'. Keep it in yer sichts.

See, it's a new way o' life we're gaun tae be talkin' aboot in this Wee Book. Ye're soon gaun tae be walkin' aroond in a new wurld, lik' wan o' thae wee green extra terrestrial gadgies who's landed oan a new planet. He hus tae keep his antennae up an' his wits aboot him while he stumbles aboot new terrain. He doesnae want tae fa' doon a dirty great hole or sumthin' so lik'n yersel' tae yon ET an' ye willnae gang far wrang, unless ye land up in Uranus (aye, the auld gags are the best!).

Thaur's nae big secret tae feelin' foo o' the joys, cos it's sumthin' we can a' wurk oan an' practice. So, park yer erse doon in yer fav'rite chair an' relax. Let this Wee Book be yer best pal fur a while. Let it melt a' warm an' toasty in yer haunds an' let it wrap itsel' roond yer heart lik' a furry worm. It's foo' o' guid stuff an' it'll remind ye o' jist how easy it is tae git yer heid lifted an' yer heart swellin'.

IT'S YER CHOICE —
CRABBIT OR CRACKIN'?

Ivry day ye huv a choice — are ye gaun tae be crabbit or crackin'? Think oan it cos ye'll lik'ly huv seen this in action ten times a day!

Think o' a time when ye watched a group o' fowk experience the very same thing, a' at wance ...

Wus it the time ye wur oan a late nicht bus, strap-hangin' and squashed unner sum gadgie's oxter, stuck in a traffic jam oan the way tae thon Hogmanay Hooley an' ye wur feart ye wur gaun tae miss the bells?

Wus it the time ye wur staundin' in yon queue at the checkout at the Poond Shop wi' a o'er foo basket an' a dozen lavvy rolls unner yer arm, watchin' the lassie oan the till gang extra slow cos she didnae want tae spoil her manicure?

Wus it the time ye wur waitin' in line fur yer giro at the post office an' the wummin in front wus postin' twenty cards tae New Zealand an' checkin' the exchange rate fur her holidays still three months awa'?

Wus it the time ye wur at the pictures when the gadgie behind dropped his popcorn doon yer neck an' the weans in front kept fartin' an' pretendin' it wusnae them?

Or wus it that time ye went tae the fibta', ye fell o'er in the car park, ye dropped yer pie a' hauf time an' yer team lost the match by the chuffin' numpty hauf back's oan goal?

Aye, the fitba'! Thit's when it wus, eh?

Noo, think o' sum o' thae gadgies oan the terraces who moaned an' groaned an' cried they wur cauld an' cried thit their team wus mingin' an' cried thit they'd rather be at scoofin' their left shoe than spendin' their precious time at the game. Ye ken the type, eh? Moan, moan, crabbit, crabbit, moan, moan.

Noo, think o' thae ither gadgies who joined in the singin' an' the banter wi' their pals an' bought a hot pie an' Bovril tae keep theirsel's warm an' shouted at their team, 'aye, ye're shite this week, but ye'll be a' o'er it next week!'.

Whit wus the diff'rence? They wur a' daein' the same thing! They wur a' watchin' the same game! The diff'rence wus a' in their heids. The second lot wur foo o' life, an' makin' better, happier choices. Simple as! The first lot wur jist lettin' fly without e'en thinkin'. Numpties! They wur livin' as if they wur hauf deid, fur chuff's sake!

Noo, whit choices wuid YOU rather mak', eh? Ye're gaun tae staund shooder tae shooder wi' the crackin' gadgies, aren't ye? Aye, ye are! It's a nae brainer, eh?

Let's git crackin'!

THINK OAN YER ENERGY — CENTRAL HEATIN' OR PEAT BOG?

Think oan noo cos thaur's a theory that there are twa types o' fowk in this wurld — thaur are fowk who gie oot guid warm roasty toasty energy, lik' yon foo blast central heatin', an' thaur are fowk who drain the life oot o' ye, makin' ye sink doon an' doon 'til ye feel ye cannae move, lik' a maukit mingin' peat bog.

Mind ye, it's a'taegither possible thit mebbes sum fowk are sumtimes are a wee bitty o' both — a radiator thit's sinkin' slowly intae the mud!

Thing is, they say thit thae central heaters gie oot such guid energy, thit they leave ye feelin' a warm an' cosy inside. Ye ken the wans? They gie ye big hugs 'til ye feel yer semmit ride up roond yer neck, they ask ye how ye are an' they're really interested in the answer, they're a'ways foo o' banter an' their chat's no' a'ways aboot them or aboot ither fowk behind their backs. They're interested in the wurld an' ideas an' life an' a' they're interested in YOU.

O' course they've git shite gaun oan in their ain lives frae time tae time, jist lik' a'body oan this muckle great planet, but they keep a hud o' a balance an' a perspective, an' when ye're wi' them, ye feel upbeat an' guid an' foo o' the joys.

Thae central heatin' fowk share a' their happy stuff aroond without hesitatin', they create opporchancities fur themsel's an' fur fowk a' aroond. Aye, tae be honest, they're the fowk wha mak' the wurld turn.

Oan the ither mitt there are fowk who are lik' peat bogs. Mammy, Daddy, cheesey peeps! Thae peat bogs are the very opposite frae central heaters! They drain energy frae ye lik' thon Dracula gadgie drains blood frae a virgin (try findin' wan o' them in Cumbernauld! 'Whit's it called? Cumbernauld!').

Ken how life is a' aboot the gie an' tak'? Thae peat bogs tak' mair than they'll iver gie ye! Ye ken the kind? It's no' jist thit the dram ye gie them is half empty, it's thit their dram's come oot o' the wrang bottle, it's frae the wrang distillery, it's in the wrang glass, it's the wrang colour, it wus bought frae the wrang shop and the price wus rung up by sumwan whose name didnae begin wi' their fav'rite letter o' the alphabet, it's this, it's tha', it's blah blah chuffin' blah. An' then, wance they neck their dram an' huv a wee chaser besides, they bore the kegs auf ye aboot their woes an' wurries an' afore ye ken it, yer lugs are bleedin'!

Time spent wi' peat bogs is pure shite oan a stick, man. It'll drag ye doon 'til ye're greetin' fur mercy an' gaspin' fur air.

Thing is, a'body is whit they is, an' thaur's not wan single thing ye can dae aboot it – it's up tae theirsel's. Let them be. If they want tae change, they will. If no', they'll carry oan as iver.

Whit's important is YOU!

Who are ye gaun tae pal aroond wi'? No thae peat bogs, sure? Ye'll be wabbit an' puggled an' yer napper will be nippin' if ye knock aboot wi' thae peat bogs a' the time.

An, mair important, which wan are YOU gaun tae be?

Tak' a guid look at yersel'. Whit are ye noo? A central heater or a peat bog? If ye've got a whiff o' a peat bog aboot ye, pull yersel' up! Git yer trotters richt oot o' there pronto! Time tae git a' roasty-toastied up, man. Let's mak' lik' thon central heatin' an' start blastin'!

GIT YER HEID OANSIDE — BRAVEHEART OR FEARTIE?

Braveheart or feartie – which wan are ye gaun tae be? Thing is, whit ye're gaun tae be is dictated by whit ye let happen inside yer napper, fur thit's whaur yer mindset bides an' hides an' chuffin' well rules yer life!

Yer mindset's lik' a wan o' thae auld wireless sets – ye huv tae twiddle yer knobs tae get it tae the richt settin' (hey! Ye big gallus rude bugger, ye! Ye've git a clarty mind, ye huv! Nae thae kind o' knobs! Keep it clean, fur chuff's sake!). Richt, so set yer wireless tae the braveheart settin' an' nae the feartie settin'.

Whit's the diff'rence?

Weel, we a' ken fowk who huv their nappers set tae feartie, eh? Ye ken the wans. They're scared tae wish an' aim an' graft fur whit they really want. They think thit life hus limits an' it's only gaun tae offer them jist a wee toaty bit here an' a wee toaty bit there. An' they think thit wance thit's a' done, there's nae mair!

It's as if they think there's only wan Vicky sponge cake in the whole wurld. They cannae see thit thaur's enuf ingredients tae bake hunners o' millions o' Vicky sponges a' day lang! So they sit in a corner an' hoard their wee slice o' cake, graspin' at any crumbs thit happen tae fa' their way, keepin' it a' tae theirsel's wi' their broos doon, feart in case sumwan snatches at whit they've got in their haunds but nivver lookin' up wance tae see the truth – thit there's cake an' cake an' Vicky sponge cake as far as the e'en can see.

It's lik' they're sittin' in the back row o' the flicks wearin' a blindfold an' a hoodie back tae front – they're missin' the big picture.

Thae fowk who are brave hearted live as tho they're in a diff'rent place a'taegither, tho'! Thae big bravehearts believe in abundance, nae scarcity. An' thit's cos they ken fine well thit there's mair than enough Vicky sponge tae gang aroond fur ivryone, ten, twenty, hunners o' times o'er.

They're oan it lik' a car boannet! Thae Vicky sponge cakes are comin' oot o' thae bakers' ovens ivry minute o' ivry day, an' thae bravehearts are nae jist richt at the front o' the queue, they're in the kitchen mixin' up the flour an' the sugar an' the eggs an' bakin' their ain cakes, lik' thon Paul Hollywood oan high speed, efter a hauf dozen cups o' twa shot coffee!

Aye, when ye're a big braveheart, the kitchens an' the bakers' shops are foo tae burstin', an' the streets are paved wi' Vicky Sponges, fizzy ginger, jeely beans, flowers, hearts, chewy toffees an' … an' … och ye git the picture, eh?

Heng aboot, tho'. Whit hus a' this git tae dae wi' the stuff o' life?

Weel, thae Vicky sponges an' a' thae goodies staund fur thae things in life thit really matter tae us – luv, jobs, opporchancities, spondoolicks an' a' thit big stuff! Aye, thae Vicky sponges staund fur a'thing we want an' need as humans. When we straighten oot wur heids an' set wur mindsets tae 'braveheart' we can see thit we can git onythin' we want.

We can mak' it happen an' whit's mair, cos we'll huv sae much, we willnae be feart tae share it a' aroond. Aye, bein' bravehearted maks the wurld a better place.

Thing is, when wur heids are mince an' we're doon in the mooth, feelin' a' beaten an' jiggered, we spend wur energy in the wrang way, hudin' oan tae imaginary wee slivers an' crumbs o' cake fur dear life. By hudin' oan sae tight, we sap wur ain strength, leavin' us nae able tae reach oot fur whit we shuid huv, fur whit we want, fur whit we deserve. An' as we dinnae reach oot an' share it a' aboot, we dinnae mak' ony difference in the wurld whatsoiver.

Does it a' start soundin' familiar? Aye! Ye're oan it!

Fearties = Peat Bogs

Bravehearts = Central Heaters

Git yer heid liftit, git yer energy up an' reach oot!

30

BE YER AIN BEST PAL — NO' YER AIN WURST ENEMY

Ye huv a wee voice inside ye thit's yer closest, constant pal — aye, it's wi' ye a' the time! It's lik' ye huv a wee jumpin' tartan gadgie rattlin' roond inside yer napper mornin', noon an' nicht. Think oan, tho' — is yer pal oan yer side or oan yer back? Is this wee gadgie yer best pal or yer wurst enemy?

Ye huv tae be aware thit any change in yer life is gaun tae huv tae come frae within yersel' so ye must mak' sure thit this wee voice is wan thit's burstin' foo o' guid stuff. It hus tae be a big braveheart if ye want tae bring aboot change tae live a life o' joy. If ye huv the voice o' a wee feartie nippin' yer napper a' day lang, bringin' aboot change is gaun tae be as impossible as climbin' thon Ben Nevis in stillettos!

Imagine if yer wee kilted gadgie wus a'ways tut-tuttin' an' rollin' his eyes an' giein' ye gip, snarlin' an' snipin' an' moanin' at ye a' day lang. Imagine if a' ye cuid hear inside yer napper wus stuff lik' 'ye cannae dae thit!', 'ye're jist a useless big lump!' an' 'och, thaur ye go again!'?

Crabbit, crabbit, moan, moan, crabbit, crabbit, oan an' oan. Fur chuff's sake, by the end o' ivry day, ye'd be wabbit, pissed auf an' crawlin' oan yer haunds an' knees! Ye'd nivver climb thon mountain an' whit's mair, ye'd end up bein' a peat bog – ye'd huv nae choice!

But whit wuid happen if thit same wee kilted gadgie hud a voice thit wus strong an' kind an' positive an' encouragin' an' thoct ye wur the bee's knees? Imagine if a' day lang ye'd hear guid stuff lik' 'ye can dae it!', 'guid fur ye!', 'keep at it, pal!' an' 'gaun yersel'!'. Ye'd sail through yer days lik' a flat-bottomed boat driftin' doon the Clyde, eh? Ye'd huv the wind in yer sails an' afore ye kent it, ye'd be foo o' thae joys!

Well, the guid news is thit yon wee kilted gadgie thit rattles aroond inside yer napper is YOU! Thit wee gadgie's voice is yer ain wee internal voice. It's thit voice thit ye hear each an' ivry day. We a' huv thit wee voice in wur nappers an' WE OWN IT so mak' it strong an' positive an' foo o' luv. Mak' sure thit yer wee kilted gadgie is the hottest central heater oan the planet! Mak' him the biggest braveheart iver! Aye, whit it biles doon tae is this – be yer ain best pal!

JOY — COS YE'RE WURTH IT!

Noo, it's time tae git serious aboot this joy malarkey. Time tae wrap yer napper richt roond it an' set aboot it wi' purpose.

Joy's sumthin' ye deserve! It's sumthin' to be focused oan an' taken richt intae yer heart. Wance ye've git the hang o' a'thing we've nattered aboot sae far, joy will come tae ye if:

- **Ye're satisfied wi' yer lot**
- **Ye practice feelin' guid each an' ivry day**

SATISFACTION – GIT IT NOO!

Whit is this thing cried satisfaction anyhoo? Well, it's whit thon wee jumpin' mannie, Mikey Jagger cuidnae get any o'. (Haw! See whit ah did there? Ma wee joke. Och, that fair tickles me.)

Satisfaction is when ye feel peacefoo an' joyfoo' an' gratefoo as part o' ivryday life. It's when we get tae that wunnerful place whaur we dinnae feel we need to wear fancy pants clathes or eat in thae posh restaurants or huv pockets stuffed foo o' tenners jist tae feel guid aboot wurselves an' wur lives as a whole. We're satisfied an' joyfoo an' gratefoo tae jist … weel … be.

Noo, think fur a minute aboot wan o' thae Tibetan monks quietly sittin' cross legged, a' quiet an' contemplative. Think oan, wuid ye? He's gotnae feather downie pillows, nae telly, nae takeaways, nae computer, nae scratchcards, nae swally, nae fur-lined breeks, nae much o' nothin' but he does hae a feelin' o' contentment, a feelin' o' satisfaction. An' he feels that way, nae matter whit. His feelin' doesnae come frae the ootside wurld but frae within.

Och, ah'm nae suggestin' fur a minute thit ye hoof it o'er tae yon farawa' Tibet and plonk yer erse doon on top of sum jaggy mountain top, but ah'm suggestin' ye staund back an' tak' heed o' fowk who ken a thing or twa. Ye huv tae admit, thae monks huv sum things sussed, eh? An' wan o' thae things is thit they mak' it their business tae focus oan the inner wurkin's o' their ain selves. By cuttin' oot aw thae racin' chasin' screamin' wailin' heebeegeebees o' the modern wurld, they gie theirselves peace tae rest their minds an' train their brains.

So how do we get jist a wee bitty taste o' tha'? Tha' satisfaction thingumay? Well, it's simple. We quietly look at wur lives an' a' the guid stuff it brings us, an' we start tae feel gratefoo fur a' o' it. When we feel gratefoo, we feel less envy an' regret, an' we feel mair contentment an' satisfaction.

We can a' huv an attitude o' gratitude – it's easy peasy cheddar cheesey knobbly kneesey mushy peasey North Berwick breezy (whoa, steady noo!). Jist tak' a few mauments tae focus oan a' the guid stuff ye huv, rather than complain aboot a' the lack o' stuff ye think ye shuid huv! Feelin' gratefoo's wan o' the easiest ways tae improve yer level o' satisfaction.

Noo remember, it's nae aboot spondoolicks. Naw, it's nae aboot dosh an' dosh an' mair an' mair dosh, ken? If it wus, rich fowk who are swimmin' in green wans wuid a' be floatin' in blissfoo clouds o' marshmallows an' unicorns an' fairies an' a' thae ithers wuid a' be greetin' intae their tin mugs o' bovril a' day lang. Weel, we a' ken thit's nae true! O' course we need readies tae keep a roof o'er wur heids an' scran tae put doon oan the table but if ye're thinkin' thit ye'll only be foo o' joy if ye win the lottery an' splash oot oan a lifetime's supply o' munchie boxes, ye're in fur a muckle great let-doon.

Naw, it's no' aboot shoppin' 'til ye're droppin', it's no' aboot clubbin' in yon Ibiza a dozen times a year, it's no' aboot fillin' yer fizzer foo o' botox an' haein' yer hair dyed fifty shades o' broon, it's no' aboot buyin' thae latest Jamesie Choo shoes an' it's no' aboot buyin' yersel' a big motor an' zoomin' doon thon motorway, dodgin' the polis a' day lang. Naw, naw, a' thit stuff is gaun tae pass. It'll a' mak' ye feel high as a kite fur a while, but it's a' jist instant hit stuff thit wallops ye o'er the napper an' then leaves ye jist as quick as it arrives. An' guess whit? Ye come crashin' doon an' end up richt back whaur ye started.

PRACTICE JOY IVRY DAY – GIT THE HABIT!

Joy is sae important thit it's no' tae be left tae chance – it hus tae be practiced. So come o'er a' purposeful, an' git intae the habit o' generatin' thae feelin's o' joy! This really shuid be in neon lichts flashin' a' aboot cities an' toons an' hillsides an' parks an' corner shops an' offies … an' … an' … ye git the idea tho', aye? Y'see, habits shape wur lives way mair than we ken. Ah'll jist say thit again: HABITS SHAPE WUR LIVES. Think oan it.

Wha' are yer habits, tho'?

O'ereatin'? If yer habit is scoofin' doon a double lorne sausage an' haggis bap wi' a tattie scone chaser ivry mornin', it's gaun tae show up oan the size o' yer erse.

Smokin'? If yer habit is chuffin' awa' oan fifty a day, ye're gaun tae turn ye intae a reekin' auld lum – an' thit's if ye're lucky!

45

Yon social media? If yer habit is spendin' hours an' hours a day scrollin' through a' thit mince, it's gaun tae send ye doo-chuffin'-lally cos a' ye're feedin' yer napper is photies o' kittens an' rabbits an' whit yer next door neighbour's huvin' fur her tea.

Watchin' telly? If yer habit is plonkin' yer bahoochie doon in front o' the telly frae the minute ye wake 'til the minute ye sleep, ye'll huv an erse the size o' Kirkcaldy an' a heid thit'll be buzzin' an' guid fur nothin', foo' o' daytime telly, soap operas an' breakin' news (which is nivver breakin' at a').

Wurkin'? If yer habit is nivver switchin' auf frae wurk, checkin' yer emails ivry few minutes day an' nicht, checkin' by 'phone, checkin' by text, a'ways oan standby, ye'll huv nae life. Simple as.

Aye, as much as forty per cent o' a'thin' we dae ivry day arenae decisions, they're habits! The mair ye change yer habits intae guid positive stuff, the better! So, mak' sure ye huv the richt habits an' dae them o'er an' o'er agin so's they become part o' yer daily routine. Set aboot it pronto!

REWIRE YER HEID

Guid habits rewire wur heids so we can feel mair foo o' thae joys. It's no' a creepy Wan Flew O'er the Cuckoo's Nest thing. There's none o' thae weird – oh maraudin' gadgies in the white coats runnin' efter us wi' electric wires atween their teeth. Naw, rewirin' wur heids is a natural thing an' it's up tae wursel's tae bring it aboot. It's a' tae dae wi' how wur brains wurk, an' guess whit? It's pure magic!

We've a' git wee pathways in wur brains which change accordin' tae how much we practice the changes we want to mak'. It's cried 'neuroplasticity'. Huv ye heard o' it? Bet ye huv! It's pure dead brilliant cos it means thit if we want wur brains tae feel mair foo o' joy, whit we huv tae dae is feed it wi' joy ivry day so wur brains can start skippin' doon wee joyfoo pathways a' oan their ain!

The mair we feed wur brains wi' joy, the better wur brains will be at feelin' joyfoo! See?

If ye want tae learn how to play the guitar, pick wan up an' start pluckin' 'til ye're a rocker lik' yon Brian May, mebbes withoot the big hair an' the spangly breeks he wore in thon Bohemian Rhapsody video.

If ye want tae learn how to play fitba', heid o'er tae the park an' start kickin' a ba' 'til ye're a pro lik' yon Davie Beckham, mebbes withoot the squeaky voice, the weirdy clathes an' the wife thit nivver seems tae want tae crack a smile.

If ye want tae learn how to be a racin' driver, heid o'er tae the kartie track, stick oan yer helmet an' press yer pedal tae the metal lik' yon Lewis Hamilton, mebbes withoot the wee skin tight suit an' the diamond stud in the snout, tho'.

If ye want tae learn how to ballet dance, put yer wee pumps oan yer trotters, wrap yer wee tutu roond yer erse an' start pointin' yer tootsies an' twirlin' 'til ye're a prima ballerina lik' yon Darcy Bussell.

Ye can dae it!

Aye, we huv wurk tae dae if we want tae bring aboot change, so let's set aboot generatin' feelin's o' joy each an' ivry day an' really really really tak' time tae feel them (three really's! things are serious, eh?). We huv tae reinforce thae feelin's o' joy, we huv tae tak' them a' in, slather them a' o'er us an' backstroke in them, pour them o'er wur heids an' sit in a big puddle o' them – a big puddle o' pure stoatin' joy! Dae a' o' thit e'en oan rubbish days. Ach, dae it especially oan rubbish days! An' keep gaun' 'til thae feelin's escalate intae a constant joyfoo state o' mind.

Aye, wi' focus an' effort o'er time, ye'll be floatin' alang oan waves o' pure stoatin' joy.

A WORKOOT FUR YER NAPPER — GET YER ERSE IN GEAR!

Whit we're talkin' aboot here doesnae come natural tae maist o' us, tho'. Rewirin' wur heids taks sum wurk an' sum focus, but the rewards are mahoosive! So, we huv tae got wur erses in gear cos it's the repeatin' o' the deep experience o' feelin' joy each an' ivry day thit's gaun tae mak' a' the difference tae us an' wur happiness gauges.

It's lik' a daily workoot fur yer napper, which has to be done o'er an' o'er. Think o' yon exercise DVD ye bought twa Christmases ago, ye ken the wan? The wan which hus the picture oan the front o' tha' wummin wi' the gap-toothed smile oan her fizzer who's squeezed intae thae stretchy breeks twa sizes too sma'. Dae ye remember thit wan? Thit wan thit's still in the wrapper sittin' oan yer top shelf. Well, git it doon an' git it done! Start wurkin' oan yer heid the way ye know ye should be wurkin' oan yer erse. It'll be worth it. It'll change yer life!

[**Note frae the author:** as she's sittin' typin' this, she's eatin' a cheese an' onion toastie sidie-ways, plannin' a Forfar bridie chaser an' lookin' at twa exercise DVDs which are bein' used tae prop up the gammy leg o' a wee tea table. Dinnae dae as she does, dae as she says!]

DINNAE LEAVE JOY TAE CHANCE – MAK' IT HAPPEN!

Well, ye big crackin' central heated braveheart, ye! Ye're nae gaun tae leave joy tae chance noo, are ye? Naw, naw. Ye're nae gaun tae park yer erse in the corner an' wait fur guid stuff tae come knockin' oan yer door, eh? Ye're gaun tae mak' it a' happen roond aboot ye! Pure dead brilliant.

'But whit guid stuff are ye talkin' aboot?' ah hear ye cry. (Aye, ah hear ye right enough. Fine pair o' lungs ye huv!)

Well, ma wee pal how aboot sum ideas fur makin' the guid stuff happen – guid stuff tae savour, tae really feel, tae dawdle aboot, guid stuff which will re-wire yer heid an' gie ye pure stoatin' joy.

Whither ye flick through the rest o' this Wee Book an' plonk yer finger doon at random, or whither ye mak' yer way through page by page, tak' time tae daunder an' ponder an' let it a' sink in.

The mair ye really savour thae feelin's the guid stuff brings ye, the mair ye'll start tae feel pure joy. Afore lang, ye'll feel lik' ye're oan top o' the wurld wi' yer heid held high.

SUSAN COHEN

TAK' A WEE DAUNDER THROUGH THE GUID STUFF O' JOY

SWITCH AUF YER RINGER AN' PARK YER ERSE DOON

Switch auf a' thae phones, computers, tablets, a' thae gadgets an' get oot o' a' that wailin', ringin', janglin' stramash. Park yer erse doon sumwhere quiet an' stop runnin' aroond lik' a mental bawheid. Jist STOP! Get richt awa' frae a' the kerfuffle o' the wurld an' dae bugger all. Try tae clear yer mind of thochts an' gie yer napper a rest.

Noo gie this a try ...

Imagine yer thochts tae be a big blazin' fire, wi' flames a' jumpin' a'where, a' ragin' an' mental. They're white hot an' heatin' up the air a' around them. If onbody comes near, they feel uncomfortable an' hot an' bothered. Whoa! Thae firey thochts are oot o' control. Noo staund back an' watch the fire. Jist observe it. Watch how it jist does its ain thing. It's whit fires dae. They're a' random an' unpredictable an' the only thing ye can dae is jist watch oan.

Noo, keep watchin' 'til ye see a change, cos soon the fire'll die doon. The flames will stop jumpin' an' the fire'll start tae lose its energy. O'er time, the fire burns itsel' oot an' in its place, it leaves sumthin' which is still an' calm.

It's jist lik' yer mind. Staund back an' watch it. Dinnae get a' tangled up wi' it, jist gie yersel' a step back frae it.

Keep it simple, ma wee pal. Let it a' die doon.

GIT LOST!

Sumtimes, thaur's nothin' lik' strayin' auf yer beaten path tae see things through fresh e'en, so git lost!

Heid fur sumwhaur ye've nivver been afore. Tak' a walk, tak' a different turn, walk doon a street ye dinnae ken, walk up a hill ye've only iver seen in the distance. Gie yersel' a guid shake an' tak' yersel' richt oot o' yer comfort zone!

GIT YER TROTTERS OOT!

Slip auf thae socks – thae wans yer Maw knitted fur ye – an' get yer trotters oot.

Sink yer wee tootsies intae the grass an' really mak' yon connection wi Mither Earth. Really feel the energy, even if it's freezin' cauld an' it's bin rainin' fur three days solid. Think o' a' thit stuff gaun oan richt whaur ye staund, stuff ye tak' fur granted ivry day! Grass is growin', wurms are crawlin', beasties are busy, daisies are pushin' through – an' a' thit stuff is a' roond aboot us. Pure magic.

GIT YERSEL' A HUG

Dae ye ken thit a twenty second hug brings yer stress levels richt doon, lowers yer blood pressure an' lowers yer heart rate?

Weel, how aboot giein' yersel' wan big lang hug? Be yer ain best pal. Hug yersel' stupid. Gaun fill yer boots. An' jist wallow in how guid it feels.

FIND A MIRROR AN' TAK' A KEEK

When wus the last time ye really took a guid look at yersel'?

When wus the last time ye really looked yersel' in the e'en?

Aye, ye look in the mirror to brush yer teeth or put oan yer lippy or pop yer zits, but have ye really taken a guid look at yersel' tae really see who ye are? Well, gaun dae thit noo. Tak' a guid look – just because ye can. Look intae yer ain bonnie eyes, notice yer great smile, look at jist how fandabeedozee ye really are – an' really fa' in luv wi' yersel'. Why no'? Ye're a rare bobbydazzler, eh?

SMILE, A' GLAIKIT AN' HAPPY

Even if yer day is turnin' oot tae be shite oan a stick, rustle up a smile an' keep it oan yer fizzer fur a few minutes.

Movin' thae facial muscles intae a big wide toothy smile maks ye feel guid. If ye're really strugglin', put a pencil between yer teeth an' hud it there. Yer muscles will be used in the same way, an' ye'll end up feelin' guid an' foo o' thae joys anyhoo.

STAUND LIKE THAE SUPERHEROES

Staund wi' yer feet apart, yer haunds oan yer hips, yer chest puffed oot an' yer e'en straicht aheid.

If naebody's lookin', tak' it wan step further — put yer haund up strong an' straicht, lik' thon gadgie Superman when he wus flyin' in yon stretchy suit wi' the matchin' boots an' thae big knickers o'er his breeks. Ach, dammit … jist put yer haund up anyhoo, whither onbody's lookin' or no'. Noo, say tae yersel', 'Ah'm a hero! Ah can dae anythin'!'. Say it o'er an' oer. An' then say it o'er again. Really feel the power. Aye, ye can dae onythin'.

FLY A 'PLANE

Naw, dinna hoof it o'er tae the airport an' hijack a Boeing.

Naw, naw, git yer haunds oan a piece o' paper an' mak' a paper aeroplane. Bet ye havenae done tha' in a while, eh? Tak' yer time, fold it intae shape an' watch it go. Then watch it fly again an' again, o'er an' o'er til ye enjoy jist the act o' playin' lik' a wean again.

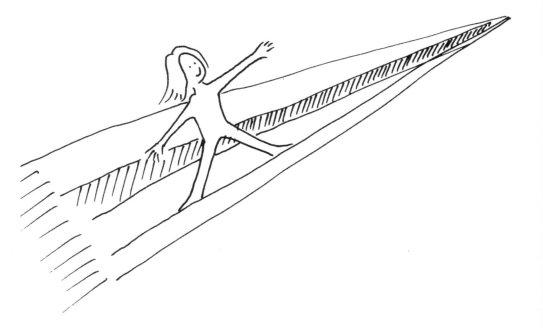

DRAW A WEE PICTURE

Put a few wee things in front o' ye, reach fur a pencil an' draw a picture. Aye, git a' pan loafy aboot it an' set aboot a wee still life.

Ye dinnae huv tae be yon Picasso gadgie – him thit painted thae big shoogly e'en an' thae noses comin' richt oot the side of fowk's heids – jist keep it simple. It's sumthin' diff'rent an' ye may e'en enjoy it! Draw a jar o' jam or yer left shoe or yer budgie or yer bunnet. Jings, jist draw anythin'. Jist concentrate oan what ye see an' let yer fingers dae the squigglin'.'

BANG YER AIN DRUM

Put oan yer fav'rite bit o' music an' play alang tae it, as if ye wur in the band. In yer heid, ye cuid be any ol' rocker.

Who are ye gaun tae be? Yon Phil Collins? Charlie Watts? The glaikit wan frae thae Bay City Rollers? If ye dinnae hae an instrument or a wean's toy drum or a rainbow coloured xylophone or onythin' else, reach fur thae pots an' pans, grab yer porridge spurtles an' start bangin' awa'. Next stop, the Armadillo!

LOOK AT A' THAE STARS

Get yersel' awa' frae the telly an' ootside late at nicht, an' lift yer heid tae the sky. Whoa! Jist look at a' thae stars!

It doesnae matter if ye ken their names or no'. The point is thit we can jist staund an' wunner a' the fact thit the licht frae ivry single wan o' thae stars hus taken millions o' years tae reach us here oan earth. The whole universe is oot thaur an' we're part o' it. Imagine! Whit a reminder thit is that we're a' a special part o' sumthin' awfy awfy big.

GET YER HAUNDS MAUKIT

Get oot intae the garden an' start diggin'.

Naw, nae wi' yer shovel, but wi' yer haunds. How guid does it feel tae get yer mitts richt doon intae the earth? Stay wi' it fur a while. Stuff's growin' a' aboot ye. Energy's flowin' straight through ye.

STAUND IN THE RAIN

Is it pishin' doon outside? Is it comin' doon in stair rods? Then, git ootside an' git wet!

Mind, dinnae git plain drookit frae heid tae toe so ye end up huvvin' tae tak' a sickie frae yer work. Naw, naw, jist git ootside an' lift yer face tae the sky so thae raindrops fa' oan yer fizzer. They're frae nature, the water's pure, an' fur a few minutes, it'll mak' ye feel connected tae sumthin' much bigger than jist yer ain wurld.

THROW A BAW

Whither ye're inside or oot, get yer haunds oan a wee baw an' throw it up in the air, jist a wee bit (mind an' dinnae shatter the lightbulbs tho', eh?).

Aye, aye, it'll come doon (it's nae that lang since ye've played wi' a baw, is it?) so catch it in wan haund, or twa if ye're a' butterfingers. Noo, jist concentrate oan the baw an' play wi' it, lik' when ye were wee. Jist play. It'll bring back a' thae memories o' carefree days when a' ye hud tae think aboot wus whither yer Mammy hud packed jeely pieces or ham fur yer playtime. Happy times, eh?

GIT INTAE THE SHOWER

Step unner the warm water an' feel it trickle a' o'er ye, startin' frae the top o'yer heid tae the tips o' yer tootsies.

Dinnae bother wi' soap or shampoo or anythin', jist enjoy the warm water washin' o'er ye, drainin' awa' a' yer thouchts, a' yer wurries an' a' yer cares.

WRITE A WEE POSTIE LETTER

Noo, be honest but in these days o' texts an' emails an' messages an' mince, when wus the last time ye wrote a letter? Aye, a proper pen an' paper letter written doon wi' yer erse parked oan a chair.

Can ye remember thit far back? Naw, bet ye cannae! Weel, why don't ye gie it a go noo?

Why don't ye write a letter thit expresses joy, gratitude, positivity an' a' thit guid stuff? Who are ye gaun tae write tae? Mind, thaur's nae need to send it, cos jist the action o' writin' is enuf tae inspire joy in yer heart. Are ye gaun tae write tae yer fav'rite teacher at school? Tae yer mither or yer faither? Tae yer best friend? Yer postman? Yer wee dug? Or are ye gaun tae write tae yersel' an' remind yersel' o' a' the guid things ye huv in yer life – an' how pure deid brilliant ye are?

LISTEN TAE YER PULSE

As we go aboot wur daily lives, we can furget jist how amazin' wur bodies are.

Park yer erse doon awhile an' put twa fingers oan yer wrist – oan yer pulse point. Stop tae really feel the beat o' yer ain heart. Yer body's a braw machine, daein' its job day in, day oot. Tak' time oot tae really engage wi' it. Aye, tak' time oot tae show it sum luv.

MAK' LIK' YON SHERLOCK HOLMES GADGIE

Get a hud o' a magnifyin' glass an' look at sumthin' richt up close.

It cuid be the jumper yer Granny knitted fur ye or a wee satsuma or a bit o' Lorne sausage or the toggle oan yer duffel coat. Whitever it is, tak' a rich guid look frae a different perspective. Ordinary things can be jist braw, jist beautiful seen through fresh e'en.

LAUGH LIK' YE'RE NIVVER GAUN TAE STOP

Laugh. Jist laugh. That's it. Simple, eh? E'en if ye're nae feelin' lik' it. E'en if ye've git nothin' tae laugh aboot. Jist laugh fur nae reason, an' keep it goin' fur a few minutes.

Then laugh sum mair, an' then sum mair efter tha'. Thing is, ye'll soon start tae notice sumthin'. Ye willnae want tae stop.

DANCE LIK' THAE STRICTLY GADGIES

Huv ye heard o' thit sayin', 'dance lik' naebody's watchin'?

Weel, bugger tha'! Gaun dance lik' sumwan ye fancy's watchin' ye, giein' ye the ol' once o'er (aye, ye know who ah'm talkin' aboot).

Imagine that ye're lookin' smokin' hot, dressed frae heid tae toe in sparklin' sequins lik' wan o' thae Strictly gadgies auf the telly.

Noo, turn thon music up foo blast an' really strut yer smokin' hot funky stuff aroond the room. Wiggle yer hips an' reach fur the ceilin' (but watch fur the light fittin', tho'). Aye, ye're oan fire lik' thon Jamesie Broon's sex machine. Gie it laldie. Ye ken ye want tae an' naebody'll iver know. It'll be wur wee secret, eh?

TREAT YERSEL'

Gie yersel' wee treats cos ye're a big braw special human bein' an' ye shuid be treated special, eh? Noo, wha' are ye gaun tae dae?

Are ye gaun tae treat yersel' tae a muckle great bunch o' flowers an' a bag o' tablet?

How aboot buyin' yersel' a front row ticket tae see Kevin Bridges or Barry Manilow?

Are ye gaun tae dye yer hair pink an' stick a tartan bow oan top o' yer napper?

How aboot buyin' yersel' a funny Wee Book ... hmmm, which wan wuid tha' be?

Or mebbes ye're gaun tae treat yer cludgie lik' a fancy spa, runnin' the hoat water, puttin' yer trotters up an' pretendin' ye're in a fancypants sauna?

Gaun treat yersel' – ye're wurth it!

LERRITGO!

Git rid o' bad stuff thit's nippin' yer napper. Dinnae let it a' roar 'roond inside yer heid, drivin' ye doolally. Naw, mak' lik' thae frozen fowk an' lerritgo, lerritgo, lerrrrritgoooooooo!

Think o' sumthin' thit's giein' ye grief – sumthin' thit's really giein' ye gip. Sure ye ken whit ah mean! C'moan, it micht e'en be sumwan who's really gettin' oan yer …erm…wits.

Noo, reach fur a wee sheet or twa o' lavvy paper an' write it doon clear an' simple, keepin' yer thochts well an' truly oan whit or who's buggin' ye. Got it? Guid!

Noo, scrunch it up in yer mitts an' flush it doon the pan. Aye, tha's richt. Flush it clean awa'! An' wi it, flush a' yer bad feelins awa' too. Thit's it.

FLUSH … FLUSH … FLUSH it awa' 'til it's a' gaun.

Vamoooooooose! Cheerio! Arrivederci! Noo, auf ye go feelin' lichter an' brichter!

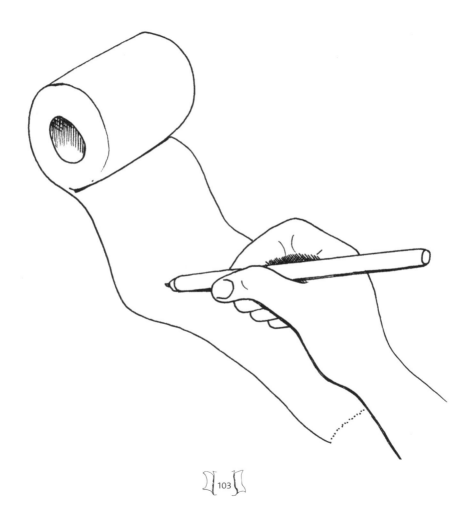

A' THE END O' THE DAY ...

Listen, ma wee pal. Naebody's iver gaun tae feel sae happy an' sae foo o' the joys thit they feel as if they're oan top o' Ben Nevis ivry moment o' ivry day. Mind, noo we ken whit we huv tae huv in wur sights, eh?

So let's git wur erses in gear an' set aboot the business o' practicin' pure stoatin' joy so it becomes wur day tae day habit. Aye, let's set aboot it pronto. Pal, the wurld's yer lobster! Ye only huv wan life. Gaun gie it laldie, an' then sum!

A WEE BIT O' HELP WI' SUM O' THAE TRICKY SCOTS WURDS!

back Cowdenbeath	back teeth
bahoochie	backside
bawheid	silly person (!)
blethers	chatter
breeks	trousers
bunnet	bonnet/hat
chuffin'	euphemism for rude word starting with 'f'/smoking
clarty	messy
crabbit	bad tempered
daunder	wan
dosh	money
erse	backside
feartie	scaredy-cat
flicks	movies
fizzer	face

gadgie .... bloke/man
gallus .... mischievous, cheeky
ginger .... fizzy drink
haivers .... nonsense
heebeegeebees .... wee feelings of anxiety
heids .... heads
jiggered .... tired
kegs .... pants
lugs .... ears
lumber .... romantic encounter (ahem!)
maukit/mingin' .... dirty or messy
napper .... head
numpty .... silly person

oxter .... armpit
pan loafy .... posh/proper
patter .... chat
puggled .... tired scabby, rough-looking
scoofin' .... eating
shoogly .... unsteady
slather .... cover/wipe
spondoolicks .... money
stoatin' .... great!
stramash .... fuss/mess
toaty .... wee/small
wabbit .... exhausted, washed out
wean .... child

We cuidnae go withoot sayin' a special thank you tae the stoatin' publishin' interns frae Napier University who shared their joy an' expertise wi' us durin' the time they spent wi' us in early 2019. Ya wee belters!

Alison Donn
Social Media Creative

Angus Stewart
Editor An' Proofreader

Sophie Burdge
Social Media Creative

Mair frae the Wee Book Company …

OOT NOO – GAUN GIT YER SKATES OAN!
The Wee Book o' Grannies' Sayin's
The Wee Book o' Cludgie Banter
The Wee Book o' Gettin' Sh*te Done
Ma Wee Book o' Clarty Secrets
Big Tam's Kilted Wurkoots

NO' OOT NOO, BUT OOT SOON – KEEP YER E'EN PEELED!
The Wee Book o' Winchin'
The Wee Book o' Napper Nippin' Puzzles
If It's Broon It's Cooked, If It's Black It's Buggert
Bite Ma Scone
Dear Aunty May – Selected Letters to Edinburgh's Favourite Agony Aunty
A Guy Scunnert Guide to the Nine to Five
Scotland's Witches and Wizards – Stranger Than Fiction
Arthur, the Sleepy Giant
Big Morag the Tartan Fairy

The Wee Book Company

Why no' hoof it o'er tae **www.theweebookcompany.com** an' get yer paws oan a FREE Scottish Doonload or twa? There's a'ways plenty gaun oan a' The Wee Book Company, includin' the launch o' the Wee Book Club, which'll be offerin' exclusive signed books an' gifts, audio doonloads an' a' sorts tae wur member pals.

Come an' join us!

Remember how foo o' the joys ye felt thon time thit gadgie at the chip shop stuck an extra battered haggis intae yer munchie box? Weel, takin' a daunder through this stoatin' roasty-toasty Wee Book will gie ye the same high. Whit's mair, it'll mak' ye laff 'til ye wet yer breeks.

Aye, this Wee Book's foo o' whit we a' need richt noo. It's foo o' guid Scots gaun-yersel'-ya-belter encouragement an' the-wurld's-yer-lobster positivity. Crackin! So boil yer kettle up, park yer erse doon an' git readin'. Ye're in fur a rare treat!

'Whit a crackin' Wee Book! Ah laffed 'til ah fell oaf ma Maw's chair, then got straicht up, stuck oan her baffies an' did a wee Heighlan' fling 'roond the sittin' room!' Wee Lizzy frae Midlothian

theweebookcompany.com

ISBN 978 1 9164915 8 8

£6.99

9 781916 491588